Scholastic

Clifford LE GROS CHIEN ROUGE MC

Clifford en camping

Adaptation de Lisa Ann Marsoli

Illustrations de Carolyn Bracken et Ken Edwards

Texte français de Christiane Duchesne

D'après les livres de la série « Clifford, le gros chien rouge » de Norman Bridwell.

Adaptation du scénario « Camping Out » par Scott Guy

Édition publiée par les Éditions Scholastic, 175 Hillmount Road, Markham (Ontario) L6C 1Z7.

ISBN 0-439-96632-9
Titre original : Camping Out

5 4 3 2 1 Imprimé au Canada 04 05 06 07

La fourgonnette des Dubois s'arrête.

— Hourra! Nous allons camper! dit Émilie.

Tout le monde sort de la fourgonnette
en vitesse. Mimi, elle, prend tout son temps.

Elle a beaucoup de bagages!

— J'aime le confort, comme à la maison, dit-elle.

D’abord, chacun monte sa tente. Clifford doit se faire un abri avec des branches!

La tente de Max a l'air d'une niche de fantaisie.

Celle de Mimi ressemble à une jolie maisonnette.

Mimi installe son ordinateur.

— Je ne veux pas m'ennuyer, dit-elle.

La petite bande part en promenade. Madame Dubois entend un pic-bois. Juan entend un cardinal. Son casque sur la tête, Mimi les suit sur sa mobylette pétaradante. Elle n'entend rien du tout.

Marie découvre une famille de ratons laveurs. Mimi tente de les apercevoir en filant à toute allure. Oh-oh!

— Je ne les ai pas vus, se lamente-t-elle.

— Tu aurais dû t'arrêter et regarder comme il faut! dit Émilie.

Ils arrivent près d’une rivière.

— Comment allons-nous traverser?

demande Marie.

Clifford fait le pont.

Tout le monde est heureux,

sauf Mimi.

Ils arrivent bientôt au sommet d'une colline.

— Quelle vue magnifique! s'exclame Daniel.

— Quel calme! ajoute Émilie.

— J'ai atteint le niveau 20! crie Mimi, les yeux fixés sur son jeu.

— Regardez les jolis papillons! dit Charlie.

— J’ai atteint le niveau 21! crie Mimi.

Le bruit effraie les papillons, qui s’envolent.

Mimi ne les a même pas vus.

— Venez! dit monsieur Dubois. La chute est juste un peu plus loin!

Clifford et Émilie ouvrent la marche.

Mimi lève finalement les yeux de son jeu.

— Où allez-vous? demande-t-elle.

Clifford et Émilie sont les premiers à voir la chute. Ils partent en courant!

Clifford a hâte de se rafraîchir.

— À l'eau! crie Émilie.

Max plonge ensuite. Il veut jouer avec son ami Clifford.

— Je ne me baigne pas dans l'eau froide, dit Mimi.

Elle gonfle sa piscine chauffée.

Mimi voudrait bien que quelqu'un joue avec elle.

Mais ses amis préfèrent nager sous la chute. Ils regardent sauter les grenouilles. Ils rient quand les poissons leur chatouillent les orteils.

Le soir, tout le monde fait griller des saucisses sur le feu! Clifford est affamé.

Mimi fait cuire des repas préparés. Puis, elle allume sa télé. Max regarde par la fenêtre et se met à aboyer.

Mimi regarde le ciel plein d'étoiles. Elle voit ses amis qui s'amusent près du feu.

— Le camping est peut-être plus amusant que je ne le croyais, dit Mimi.

Elle et Max vont rejoindre les autres.

— J'espérais que tu viendrais te joindre à nous, dit Émilie.

— Oh, une étoile filante! crie Mimi. L'as-tu vue?

— Oui, dit Émilie. Mais ce qui me plaît encore plus, c'est que tu l'aies vue aussi!

Tu te souviens?

Encercle la bonne réponse.

1. Les papillons s'envolent parce que…
   a) Clifford a aboyé.
   b) Charlie les poursuit avec son filet.
   c) Mimi fait trop de bruit.

2. Comment la petite bande traverse-t-elle la rivière?
   a) À la rame.
   b) Sur le dos de Clifford.
   c) À la nage.

Qu'arrive-t-il en premier?
Qu'arrive-t-il ensuite?
Qu'arrive-t-il à la fin?
Écris 1, 2 ou 3 dans l'espace qui suit chaque phrase.

Clifford saute dans l'eau. ______________

Marie découvre des ratons laveurs. ______________

Tout le monde monte sa tente. ______________

Réponses :

1. c
2. b

Clifford saute dans l'eau. (3)
Marie découvre des ratons laveurs. (2)
Tout le monde monte sa tente. (1)